P9-DBS-773
kitten
king
key
k
kangaroo
kite

The **k**itten
is in the basket.

The **k**ing
is in the castle.

The **k**angaroo
is in the zoo.

The **k**ey
is in the **k**eyhole.

The **k**ite
is in the sky.

Who is in the **k**itchen?

We are!

Little red **k**ite
up in the sky.
Little red **k**ite
flying so high.